Note aux lecteurs

De temps en temps, vous trouverez dans ce récit des chiffres qui vous renverront à de petites notes placées en bas de page. Je sais, je sais! Vous détestez ça!

Eh bien, justement!

Cette histoire est si passionnante que vous l'auriez lue d'une traite, sans reprendre votre souffle.

"Maman, achète-moi un autre bouquin, j'ai terminé le mien."

Pas question!

Avec mes petites notes, vous lirez moins vite!

L'abominable destin des Areu-Areu

Jean-Paul Nozière
illustrations de Mérel

tire lire poche

1

Les Areu-Areu, frileusement serrés comme un paquet de nouilles trop cuites, tendent leurs mains glacées au-dessus d'un tas de cendres grises. Le feu est éteint depuis plusieurs mois. Ce qui n'empêche pas les membres de la tribu de se regrouper chaque jour autour du foyer mort.

Parfois, deux Areu-Areu se lèvent, s'éloignent de quelques pas. Le plus fort balance son poing dans la figure de l'autre, puis hurle : "Tu les vois ? Tu les vois ?"

L'assommé se redresse péniblement, hochant la tête d'un air convaincu.

— "Attrapes-en une ! Attrapes-en une !"
beugle le costaud.

Les autres Areu-Areu, blottis près du feu
éteint, ne bronchent pas. Depuis belle
lurette, ils n'espèrent plus que le boxé sai-
sira l'une des trente-six chandelles qu'il a
dû normalement apercevoir après avoir
encaissé un tel coup. Pourtant, la flamme
de cette chandelle serait la bienvenue
puisqu'elle réchaufferait agréablement
leurs corps gelés.

— "Bougre d'idiot !", peste le costaud.
"Incapable ! Bon à rien !"

Et, d'une droite vengeresse, il abat pour
de bon le pauvre Areu-Areu couvert de
bleus.

Vous vous demandez pourquoi ces gens
n'utilisent pas de bonnes vieilles allumettes,
ou un briquet, comme tout le monde ?

C'est que la tribu des Areu-Areu vivait il
y a des centaines de milliers d'années (1).

D'immenses forêts, épaisses, noires,
sinistres, recouvraient .la Terre. Le froid
pinçait si fort que la vapeur qui sortait des
bouches se transformait instantanément en
glace pilée.

(1) A l'époque de la Préhistoire. Ça vous dit quelque
chose ?

Vous comprenez maintenant l'importance du feu et les lamentations désolées de la tribu qui l'avait laissé mourir.

D'ailleurs, le feu éloignait aussi les animaux. Ne parlons pas de ces charmantes petites bêtes qu'étaient les mammouths, les rhinocéros poilus, et autres smilodons (1).

Il n'était pas rare de se réveiller le matin et d'en découvrir une qui vous léchait les pieds. On en trouvait autant que de puces sur le dos d'un chien abandonné.

Les ours ne se gênaient pas davantage. Ils pénétraient carrément dans la grotte que les Areu-Areu utilisaient comme maison. Ceux-ci protestaient (timidement, il faut le reconnaître).

"Ça va pas, non! Faut plus se gêner!"

Généralement, l'animal restait calme, croquait cependant un ou deux Areu-Areu, pour bien montrer qui était le plus fort.

Vous le constatez, l'époque était terrible

---

(1) Joli nom, plutôt gentil. Mais ne vous y fiez pas! L'autre nom du smilodon est... "tigre aux dents de sabre!"

Hélas, la tribu des Areu-Areu se compo-
sait presque entièrement d'imbéciles. C'est
pourquoi nous ne manifesterons aucun
étonnement en les trouvant se réchauffant
auprès d'un tas de cendres et palabrant à
n'en plus finir. Ecoutons-les discrètement :

"Je propose que nous commencions les
pourparlers de paix, dit le Chef.

D'accord ! d'accord ! clament plusieurs
voix. Qu'on allume le calumet de la paix !"

A l'écart du foyer, adossé contre un arbre, un Areu-Areu observe ses compagnons. Il éclate de rire :

— "Vous l'allumerez avec quoi, votre pipe ?"

Les Areu-Areu se regardent sans comprendre.

L'homme solitaire hausse les épaules, désigne du doigt les cendres froides. Alors, la fureur de la tribu explose :

"Tais-toi, porte-guigne !

— Espèce de fou ! Crétin ! Idiot !

— Mada ne pense jamais comme nous, donnons-lui la correction des 36 chandelles !"

Déjà, un géant se lève, masse ses poings d'un air ravi.

L'Areu-Areu nommé Mada ne s'inquiète pas. Narquois, il remarque :

"Pourquoi conclure la paix, puisque nous ne sommes pas en guerre ?"

Des dizaines de paires d'yeux se tournent vers le Chef Haha (1). Le Chef ne se trouble pas. La voix tonnante, il gronde :

"Mada veut faire le malin, mais votre Chef sera toujours plus malin que Mada."

(1) Nom étrange, j'en conviens. Cela peut se traduire par Crâne Sonore.

Il toise Mada avec dédain, puis ajoute :

"A l'instant même, je déclare la guerre ! Ainsi, nous pourrons commencer les pourparlers de paix dès demain".

La tribu applaudit son Chef. Les hommes se lèvent, prêts à le porter en triomphe. Les femmes lorgnent Mada et ricanent :

"Pauvre fada ! Notre Chef t'a cloué le bec !"

Elles l'entourent, font la ronde, chantonnent :

"Mada le fada, eu... se croit au cinéma, u... (1)".

Remarquez au passage que les femmes Areu-Areu emploient un mot qui n'existera que des centaines de milliers d'années plus tard !

Mada ignore les moqueries. Il s'éloigne en direction de la grotte. En croisant le Chef, il questionne négligemment :

"Au fait, à qui avez-vous déclaré la guerre ?"

Haha se tourne vers son voisin et transmet la question :

"C'est vrai, ça. A qui faisons-nous la guerre ?

Le voisin reste muet. Bientôt, le camp entier se pose la même question avec inquiétude.

Un murmure se répète de groupe en groupe :

"Quel est notre ennemi ? Comment se nomme-t-il ?"

La voix de Mada retentit :

"Nous sommes la seule tribu à vivre su cette Terre. Quelqu'un d'entre vous a-t-jamais rencontré un autre être humain ?"

Haha, le Chef des Areu-Areu, devien très pâle. C'est indiscutable : pour déclare la guerre, un ennemi, c'est indispensable Et d'ennemi, il n'y en a pas !

A nouveau le géant prépare ses poing La pâleur du Chef indique que Mada dev recevoir la correction des 36 chandelle

On ne vexe pas Haha sans en subir les conséquences !

Cependant, un cri d'épouvante jaillit de la forêt :

"Sauve qui peut ! Sauve qui peut ! Fuyons !"

Un Areu-Areu essoufflé débouche dans la clairière où se tient l'assemblée. Il a couru si vite que son vêtement de peau est en marmelade, complètement déchiqueté par les broussailles. Il hoquète de terreur, bafouille en montrant les bois au-dessus desquels s'élève un nuage de fumée noire :

"La fée… non, je veux dire, le feu ! Buisons vite… euh… fuyons vite !"

En un clin d'œil, la clairière se vide.

Il ne reste que le monceau de cendres oides auprès desquelles les Areu-Areu … réchauffaient !

2

Il est temps de vous expliquer pourquoi les Areu-Areu détestent Mada. Il suffit de les observer pour comprendre.

Les voici, tassés à l'entrée de leur grotte, épouvantés par les flammes qui dévorent leur forêt. Ils se ressemblent tous, comme un noyau de cerise ressemble à un autre noyau de cerise. Un grand corps musculeux recouvert de vigoureux poils noirs, de longs cheveux tombant sur des épaules voûtées : bouh ! qu'ils sont laids ! Pour compléter cet abominable portrait, ajoutons une énorme tête, de gros sourcils, un nez écrasé par les centaines de "marrons" encaissés !

En guise de vêtements, les Areu-Areu portent une espèce de tunique composée

de peaux de rats assemblées. Eh, oui! Des peaux de rats, vous avez bien lu.

Tel est le portrait d'un Areu-Areu quelconque.

Les Areu-Areu ne tuent ni ours, ni loups, ni autre chose d'ailleurs que des rats. Affronter les bêtes sauvages, c'est bon pour Tarzan.

Dans ce genre de sport, il vaut mieux ne pas trembloter. Tandis que les rats, en s'y mettant à 5 ou 6, c'est bien le diable si on ne parvient pas à en tuer quelques-uns parmi les milliers qui courent dans la grotte.

Les Areu-Areu ne mangent que du rat. Du rat à midi, du rat le soir. Du rat comme entrée, du rat comme dessert (1).

(1) Les jours de fête, pour varier le menu, ils croquent de délicieuses petites souris, nettement plus tendres.

Pour le moment, ils ne pensent guère à festoyer. La tribu grelotte de terreur. Pourtant, le Chef Haha distribue les ordres :

"Que 5 guerriers valeureux profitent de l'incendie pour reconquérir le feu nécessaire à notre tribu !"

Il désigne les courageux Areu-Areu :

"Toi, toi, toi ! (1). Prenez un pot (2), allez chercher des braises."

Les valeureux guerriers bombent le torse, et s'élancent… pas du tout en direction de l'incendie, mais vers le fond de la grotte où ils se réfugient. On ne les reverra pas de la journée !

1) Trois "toi" pour 5 guerriers : le Chef ne sait pas compter. L'école date de beaucoup, beaucoup, beaucoup plus tard.
2) Prendre un pot signifie aujourd'hui boire un verre de quelque chose. Le temps déforme drôlement les choses !

Mada ne ressemble à aucun de ces poltrons.

Pendant que le Chef perd son temps en paroles inutiles, il ramène des braises et allume un grand feu.

"Frères, n'ayez plus peur ! J'ai reconquis le feu pour notre tribu et le vent chasse le danger qui nous menaçait".

Horriblement vexé, le Chef explose de colère.

Il hurle :

"Ne l'écoutez pas ! Les démons ont donné le feu à Mada ! Eteignez ce feu venu de l'enfer !"

Aussitôt, la panique s'empare des Areu-Areu.

Munis de branches, ils tapent sur les flammes afin de les étouffer. Ils courent dans tous les sens, poussant de curieux cris désarticulés, qu'ils répètent sans cesse, jusqu'à ce que la moindre flammèche ait disparu :

"Pin-pon… pin-pon… pin-pon"

L'écho renvoie ce signal dans toutes les directions :

"Pin-pon… pin-pon… pin-pon…"

Ce qui différencie surtout Mada des autres Areu-Areu, c'est la tête.

Mada est chauve. Chauve, dans une tribu de chevelus, ma parole, il le fait exprès! Les Areu-Areu ne comprennent pas cette absence anormale de cheveux, aussi ne l'acceptent-ils pas.

"Bonjour tondu!"

— Quel œuf!

— Tu n'as pas froid au caillou?"

Voici le genre de fines plaisanteries que Mada recueille chaque jour!

Quand la tribu l'agace, il saisit son arc et part pour la chasse. Il s'attaque aux gros animaux et tue parfois des ours. Cette habileté le rend davantage suspect auprès de ses frères :

"Vous avez vu ? Le fada sans poils a encore tué un ours !"

Lorsque cela se produit, la tribu ne s'approche pas. Avec jalousie, elle lorgne la dépouille de l'animal : encore une peau qui tiendra chaud à Mada pendant que les autres Areu-Areu gèleront dans leurs habits de rats !

"Mada est fou de s'attaquer aux ours. Il s'habille de leur peau, c'est pourquoi il pue comme eux."

Parfois, la tribu reprend l'accusation en chœur :

"L'ours pue... eu... Mada pue... eu... Mada est un ours puant... eu...(1)."

Finalement, dégoûtés, les Areu-Areu se lancent dans la fabrication d'arcs, en copiant Mada. Hélas, ils choisissent du bois trop sec, et dès le premier tir, l'engin éclate dans leurs mains.

(1) Les "eu", c'est le rythme. Essayez de chantonner : avec les "eu", vous constaterez que ça va mieux.

Cependant, quelques guerriers, particulièrement doués, sont parvenus à leurs fins.

Aussitôt, pour essayer leurs armes, ils organisent une battue.

Une battue aux rats !

Une battue aux rats… dans la grotte !

Dans le noir, les flèches volent dans toutes les directions.

La chasse terminée, on dénombre les victimes.

Rats : zéro.

Areu-Areu : dix blessés par flèches, trois blessés par correction des 36 chandelles.

Après cet épisode peu glorieux, la haine de la tribu envers Mada est encore plus grande.

Il doit vivre seul, dans une sorte de hutte de branchages construite à l'écart de la grotte.

Lorsque sa solitude devient insupportable, il joue de la musique. Sur un morceau de bois creux, il a fixé de fines cordelettes découpées dans des boyaux d'animaux. Quand il pince les cordes, cela donne un son puissant, assez agréable.

Parfois, cet instrument le rend enragé. Il gratte les cordes à toute vitesse, se contorsionne, braille de bizarres paroles qui ne signifient rien. En voici un court extrait :

"Yéyé, yaya, youpiya ; yéyé, yaya, youpiya" etc. etc…

La première fois, les Areu-Areu encerclent Mada, se bouchent les oreilles pendant que le musicien se tortille sur le sol comme un ver atteint de démangeaisons. Des sons effrayants sortent du morceau de bois. Un Areu-Areu, moins apeuré que les autres, s'approche :

"Arrête ce vacarme ou tu prends un marron !"

Mada n'entend rien. Au contraire, il tire de plus en plus énergiquement sur les cordes.

"Qu'est-ce que c'est que ce truc à musique ?

"Pourquoi tu t'agites comme ça ? T'es pas un peu malade ?"

Mada cesse enfin de grattouiller son instrument. Il réfléchit :

"Ce truc… ce truc… ça n'a pas de· nom… heu… disons… guitare" (1).

Les Areu-Areu se fâchent tout rouge, et, moqueurs, inventent n'importe quel mot :

"Une guitare… pourquoi pas… heu… un saxophone… un piano… un harmonica… (2).

— Ras-le-bol, de ce cirque ! fulmine un Areu-Areu. Que Mada vive comme nous ou quitte la tribu !

— Oui ! oui !" clament des dizaines de voix.

Heureusement, l'arrivée d'un énorme boa va sauver Mada. Attiré par le vacarme, le colossal serpent a poussé son gros ventre jusqu'à la clairière.

(1) Notez la fantastique intelligence de Mada : trois millions d'années avant Johnny Halliday, il découvre la guitare ! Stupéfiant, non ?
(2) De plus en plus stupéfiant, n'est-ce pas ?

En deux secondes, la place se vide : c'est à qui piétinera l'autre pour parvenir plus rapidement à la grotte. Mada ne voit pas le danger.

Il joue maintenant une douce mélodie, ce qui est plutôt inhabituel.

Les Areu-Areu assistent alors à un spectacle inoubliable. Au lieu d'engloutir Mada, cet imbécile de boa se met à onduler en cadence, à se dresser vers le ciel. Bientôt, il ne repose plus sur le sol que par un tout petit bout de queue. De la bouche vorace s'échappe un ronronnement de plaisir. Mada l'entend, aperçoit enfin cette espèce de tuyau suspendu dans les airs et qui fait le beau. (1)

Sans cesser de jouer, Mada s'empare d'une hache qui traînait à ses pieds, comme ça, par hasard. Croyez-moi : jouer de la guitare et utiliser une hache en même temps, ce n'est pas à la portée du premier venu. Je ne connais que Tarzan et Tintin qui soient capables d'en faire autant.

Bref, bzing... couic... Mada fend le boa par le milieu !

(1) Retenez votre souffle : on nage en plein suspense !

Les Areu-Areu applaudissent :
"Bravo, vive Mada !"

Puis ils se rappellent le concert de guitare :

"Hou, hou ! A bas Mada le fada !"

Toutefois, un fada qui tue un boa aussi facilement que vous écrasez une puce, ça peut servir. C'est pourquoi les Areu-Areu ne chassent pas Mada. Ils organisent un banquet de boa, avec des petites souris au miel en guise de dessert.

3

La musique, seule, ne rendrait pas Mada totalement heureux. Il quitterait cette tribu de simples d'esprit si Vèe n'existait pas.

Vèe la belle, Vèe aux yeux de lac. Mada est amoureux de Vèe.

Tout commence le jour où Mada donne un de ses fameux concerts gratuits. Comme d'habitude, le Chef Haha a donné le signal en claironnant :

"Alerte ! Alerte ! Le fada va jouer de son instrument !"

Aussitôt, les Areu-Areu puisent dans leur réserve de mousse et s'en colmatent les oreilles. Certains implorent Mada :

"Pitié, pitié ! Pas de musique !"

D'autres lancent des projectiles en direction du musicien, de gros fruits rouges qui poussent partout et que la tribu nomme tamotes.

Très pratiques, ils s'écrasent en donnant un jus abondant qui dégouline sur la figure de la victime.

Sans se soucier des tamotes qui salissent sa belle peau d'ours, Mada pince allègrement les cordes de sa guitare. Les Areu-Areu se lassent et déguerpissent.

Sauf une superbe jeune fille, qui, au contraire, se dirige vers Mada. Voilà Vèe.

Ses longs cils papillottent.
"Magnifique!" murmure-t-elle.

Stupéfait, Mada s'arrête de jouer. Pour la première fois, quelqu'un apprécie sa musique. Il dévisage Vèe et reste abasourdi comme s'il avait reçu la correction des 36 chandelles! La présence d'une aussi belle fille relève du miracle!

Vèe regarde Mada avec de grands yeux émerveillés, laisse échapper de longs soupirs.

Mada regarde Vèe avec de grands yeux émerveillés etc... etc... (Tout le cinéma des amoureux! Trop long de s'éterniser là-dessus).

Bon! Vous avez compris que Mada et Vèe s'aiment tendrement (1).

Quoi qu'il en soit, Vèe ressemble autant à un Areu-Areu normal qu'une coccinelle à une grenouille.

Elle se teint les lèvres en rouge avec un produit qu'elle fabrique en écrasant des racines.

Comme elle se trouve un peu petite, elle s'attache sous chaque talon une épaisse cale de bois.

Lorsqu'on l'interroge sur cette idée saugrenue, elle rétorque:
"Ben quoi, j'ai mis des hauts talons."

Les Areu-Areu n'affectionnent pas plus Vèe que Mada. Ils la craignent, ses cheveux frisottés font peur.

(1) Pratique pour la suite de l'histoire... Enfin, vous verrez

Haha, le Grand Chef Honorable a laissé tomber son jugement :

"C'est une sorcière ! Les esprits malins habitent cette femme aux cheveux annelés comme des serpents."

Souvent, la tribu lui demande conseil, mais s'empresse de faire le contraire afin de tromper les mauvais esprits.

Vous vous rappelez l'histoire du feu éteint ?

Le Chef, aplati dans la poussière, aux pieds de Vèe, avait larmoyé :

"O toi, la femme aux lèvres peintes et aux cheveux miraculeux ! Comment faut-il agir pour que notre tribu conserve éternellement son feu ?"

Vèe avait bafouillé :

"Bof… je n'en sais fichtre rien… euh… protégeons-le de l'eau…"

Illico presto (1), du doigt, le Chef avait désigné trois hommes :

"Que deux guerriers (toujours de grosses difficultés en maths...) jettent de pleins pots d'eau sur notre feu."

Vous connaissez la suite !

1) C'est de l'Italien, de l'Espagnol, ou du latin. Ça sonne diablement bien.

Ça, c'est le passé. Revenons au présent, où nous retrouvons nos deux tourtereaux se promenant dans la forêt. Ils se tiennent par la main.

"Tu m'aimes ? questionne Vèe.

— Plus que tout, murmure tendrement Mada (1).

Il lance alors un énorme meuglement de satisfaction qui tue de terreur un mammouth en promenade digestive dans les environs.

C'est là le cri de guerre de Mada (2).

(1) Ne riez pas bêtement. Il pourrait bien vous arriver ur jour de prononcer des paroles aussi débiles.
(2) Des milliers d'années plus tard, Tarzan plagiera honteu sement Mada : son célèbre cri n'est qu'une pâle copie pou laquelle il n'a même jamais payé de droits d'auteur.

4

Vous pourriez imaginer que l'histoire
s'arrête là. Comme dans les films, le couple
heureux s'éloigne et le mot fin apparaît.

Pas du tout! Les Areu-Areu sont trop
bêtes pour laisser Mada et Vèe en paix.
L'envie tord leur bouche de jalousie.

"Non mais, regardez ces deux-là! Quelle
honte : ils pourraient s'embrasser ailleurs.

— De jolis cocos, vous parlez d'un sans-
gêne!"

Mada et Vèe ne répondent rien.

Mada chasse et pendant ce temps, sa compagne se livre à une curieuse occupation. Elle récolte des graines qu'elle écrase soigneusement entre deux grosses pierres.

Elle ajoute de l'eau à la poudre grise obtenue et fabrique ainsi une sorte de bouillie très appréciée lorsque Mada rentre bredouille de ses expéditions. Avec le surplus des graines, Vèe confectionne des colliers qui orneront son cou ou ses bras.

Les femmes Areu-Areu n'apprécient pas ces fanfreluches. Elles grommellent :

"Pouah, le crapaud ! Il faut s'appeler Mada le fada pour aimer une sorcière telle que toi".

Cependant, les hommes Areu-Areu ne pensent pas la même chose. Ils trouvent Vèe très belle et regardent de moins en moins leur propre femme. Des drames éclatent. Les maris, mécontents, infligent à leur épouse la correction des 36 chandelles. Parfois, c'est l'inverse. Dans la grotte la vie devient impossible. Le Chef intervient :

"Femmes ! Je vous ordonne de confectionner des colliers afin d'être aussi belle que Vèe.

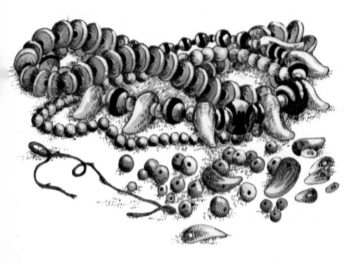

"Hommes ! Je vous ordonne de chasser l'ours afin que sa peau habille nos corps frileux."

Cet ordre consterne les valeureux guerriers Areu-Areu. L'ours ? Haha devient-il fou ?

Les femmes narguent leur mari :

"Pourquoi n'avons-nous pas choisi Mada comme époux, au lieu de nous encombrer de vous, les peureuses souris ? Au moins serions-nous vêtues d'ours plutôt que de rats puants."

Les guerriers partent donc pour la chasse, armés d'épieux pointus et durs. Les os de leur squelette jouent des castagnettes (1).

Pendant ce temps, les femmes Areu-Areu se mettent au travail. Hélas, elles ne parviennent pas à enfiler les graines. Et c'est normal.

Essayez donc de glisser un fil trop gros dans un trou trop petit! Les graines glissent, échappent, roulent sur le sol pierreux de la grotte. Pour les retrouver dans l'obscurité, c'est pas de la tarte! (2)

Les femmes Areu-Areu clopinent à quatre pattes, dans le noir, à la recherche des petites boules égarées. D'où d'inévitables collisions.

Et voilà, la bagarre recommence.

(1) Ça pourrait être le début d'une comptine.
(2) Expression Areu-Areu qui n'a AUCUN RAPPOR avec notre gâteau, alors inconnu. Signifie : difficile.
Remarque : les seules tartes de l'époque sont celles que le Areu-Areu se distribuent généreusement au cours de leu disputes.

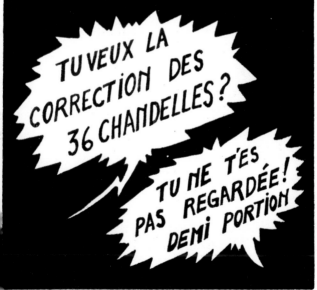

(2.) Expression Areu-Areu, signifie : Ouille

A nouveau, le Chef apaise les colères (un mauvais rhume l'a empêché de suivre ses guerriers à la chasse. Sinon, vous pensez bien…).

"Suffit! Puisque c'est ainsi, nous prierons Vèe de nous céder quelques colliers."

La mine des femmes s'allonge.

"Beurk! Supplier cette pimbêche de Vèe…"

Pourtant, comment faire autrement? Que diraient les valeureux guerriers si, au retour de leur héroïque chasse, ils ne retrouvaient pas leur épouse parée de colliers?

"Que les quatre plus jeunes femmes m'accompagnent à la hutte des sorciers!" exige le Chef.

Aussitôt, les quarante-deux femmes de la tribu bondissent derrière lui. L'occasion est trop belle : pénétrer dans la maison de Vèe est un spectacle alléchant.

La hutte de branchages est proche. Lorsque la petite troupe y parvient, elle trouve les valeureux guerriers partis le matin même pour la chasse. Vautrés sur d'épaisses peaux d'ours, ils ronflent.

Mada s'avance à la rencontre du Chef Haha. Moqueur, il explique l'étrange présence des hommes de la tribu :

"Mes courageux frères n'ont pas voulu s'attaquer à l'ours malin sans les conseils de leur Chef héroïque. Ils m'ont supplié de leur donner ces peaux, et, depuis ce matin, ils dorment.

— ...." (1)

1) Langage typiquement Areu-Areu. Sert à marquer la surprise.

5

Les Areu-Areu ne pardonnent pas ces cuisantes humiliations. Certes, ils sont vêtus d'ours, de lourds colliers pendent sur la poitrine des femmes. En remerciement, Mada et Vèe n'ont récolté que la correction des 36 chandelles et beaucoup de haine.

Ils vivent seuls. Jamais d'invitation aux fêtes. La plus appréciée est la fête du Jour que les Areu-Areu célèbrent dès l'apparition du soleil. C'est à dire chaque matin.

Jamais Mada et Vèe ne participent aux jeux de la tribu. Pourtant, il en existe de nombreux et variés : la course de rats, le combat de rats, le rat savant, etc... Puis toutes les variantes, avec les souris : la course de souris, le combat de souris, la souris savante, etc...

Les Areu-Areu ne parlent même plus aux deux amoureux. Sauf pour les insulter ou se moquer.

C'est alors que se produit un événement qui va, une fois encore, obliger la tribu à demander l'aide des deux fadas. Une épouvantable épidémie s'abat sur les Areu-Areu : la colique !

On les voit se promener sans joie, soutenant à pleines mains leurs ventres ballonnés. La colique tord les entrailles, ne laisse aucun moment de répit. Les Areu-Areu courent à travers la clairière, escaladent les arbres, se cachent dans la grotte, font n'importe quoi dans l'espoir de voir la douleur disparaître.

Ils en perdent le goût de vivre. Ils ne célèbrent plus la fête du Jour, ou alors, ils le font en pleine nuit. Ils n'organisent plus leurs jeux si intelligents.

C'est à peine si quelques membres de la tribu se réunissent encore pour applaudir un combat de rats particulièrement disputé. D'ailleurs, l'ambiance de ces combats a changé. Certes, l'homme qui décrit la course, crie toujours très fort, afin que les spectateurs rassemblés dans le Ratodrome (1) entendent distinctement.

"— Os à Moëlle est à la corde ! Il a une bonne longueur d'avance sur Cartilage qui distance peu à peu Bienjuteux !"

Mais d'un seul coup, le commentaire cesse. Le farouche guerrier bondit, et, braillant de douleur, plonge derrière un massif de fougères.

Vraiment, les Areu-Areu n'ont plus de goût à rien.

Par contre, Mada et Vëe se portent à merveille. Teint rose bonbon, œil clair pour eux. Peau gris souris, œil cerné pour les autres.

Mada prévient ses frères :

"— Vous mangez trop de rats ! Votre ventre crie pitié. Regardez-nous : l'ours velu, le renard puant, le loup féroce, le serpent visqueux sont nos viandes préférées'.

(1) Ratodrome : enceinte réservée aux courses de rats.

Les Areu-Areu salivent. Du renard! Du serpent! A la place de ce maudit rat, détestable plat unique!

Puis, ils ravalent leur salive. L'ours cruel? Le loup sanguinaire? Un frisson caresse leur nuque. Décidément, ils préfèrent encore la colique.

Cependant la colère gronde. Malgré les explications fournies, la bonne santé des jeunes gens paraît étrange.

"— Ce sont des sorciers", gémit le Chef Haha en massant son ventre devenu aussi gros que celui d'un python qui vient de gober une chèvre.

— Quand nous lançons des tamotes sur Mada, accuse un autre guerrier, Vèe les ramasse, les découpe en morceaux avec une dent de smilodon et ces deux fadas avalent ça !

— Quelle salade ! ricane un Areu-Areu méprisant.

— Parfois, elle les écrase dans une écorce creuse et ils se gorgent du jus de ces fruits ! reprend le premier guerrier.

— Chassons-les ! Ou tuons-les ! hurlent plusieurs voix. Pas de sorciers parmi nous !"

Les Areu-Areu crient leurs menaces du haut de leur grotte. A s'approcher trop près de la hutte de Mada, on risque de recevoir une flèche. Et le moins intelligent des Areu-Areu n'ignore pas qu'une flèche cause davantage de dégâts que la colique.

Durant des semaines, les Areu-Areu houspillent Mada et Vèe dont ils jalousent la superbe santé.

Les femmes ont fabriqué deux pantins représentant le couple détesté. Lorsque la tribu s'égosille :

"Chassons-les ! Tuons-les !"

Le Chef balance les pantins dans le vide, par l'ouverture de la grotte. Aussitôt, les Areu-Areu se tordent de rire en se donnant de grosses bourrades de satisfaction. Puis le Chef descend rechercher les pantins désarticulés, afin de les réutiliser lors de la vengeance suivante !

La maladie ne disparaît pas pour autant.

Le Chef Haha comprend que s'il ne guérit pas la tribu, il perdra sa place de Grand Chef Valeureux et Respecté (1).

Il décide donc de réunir l'Assemblée des Braves.

L'Assemblée des Braves se compose des guerriers capables de dévorer un rat (queue comprise), en moins de temps qu'il n'en faut au Chef pour compter les membres de sa tribu sans se tromper. C'est pourquoi TOUS les guerriers composent l'Assemblée des Braves.

(1) Et une place comme ça, on ne la trouve pas sous les sabots d'un cheval : une campagne électorale, c'est difficile !

6

  "Braves parmi les Braves", tonne le Chef, "Salut à vous, ô puissants Dévoreurs de Rats!"

  Comme le discours du Chef traîne en longueur, j'abrège. D'autant qu'il ne reste bientôt plus que trois guerriers autour de Haha. Les autres Areu-Areu se sont dispersés, vaincus par la douleur et l'ennui.

  "........ c'est pourquoi je compte sur vous, sur votre ruse, termine le Chef Valeureux.

  — Bzzz... bzzzz...bzzzz"

  Les trois Braves dorment.

Le Chef Areu-Areu ne perd pas son sang-froid.

Il annonce :

"Je propose que nous demandions l'aide de Mada et de Vèe. Le Conseil des Braves est-il d'accord ?

— Bzzz... bzzz... bzzz...

— Très bien. Proposition adoptée. Mada et Vèe chercheront à nous tromper. Ces fourbes mangeurs d'ours se réjouissent de nos ventres ballonnés. Notre ruse sera plus forte que leur méchanceté

— Bzzz... bzzz... bzzz...

— Votre Chef est malin. Jamais il ne vous a donné de sots conseils."

Un des dormeurs soulève une paupière et grommelle :

"Faut plus se gêner ! Qui a commandé de lancer des pots d'eau sur notre feu ? (1)"

Il se rendort aussitôt.

Sans se démonter, Haha poursuit :

"Justement ! Nous agirons de la même façon ! Nous ferons le contraire de ce que

---

(1) Les rares lecteurs qui ne se souviendraient plus de ce génial épisode, peuvent se reporter quelques pages aupararavant.

nous proposera Mada le fada. Par ses conseils empoisonnés, ce renard puant croira mener notre tribu à sa perte. En agissant en sens inverse, nous recouvrerons la santé.

— Bzzz… bzzz… bzzz…

— Le Conseil des Braves accepte-t-il les propositions de son Chef Agile et Audacieux ?

— Bzzz… bzzz… bzzz…

— Merci. Je déclare ces propositions adoptées. La séance est levée".

Le Chef distribue quelques coups de pieds pour réveiller le Conseil des Braves.

"Ouille! Tu vas prendre une beigne!" proteste un Brave mal réveillé.

Puis, les trois guerriers se mettent à danser sur place, du dandinement lent et rythmé qui est celui de la danse sacrée.

"Qu'est-ce qui vous prend?" s'étonne Haha.

En chœur, les Areu-Areu répondent:

"Tu viens de nous réveiller, ô Grand Chef, nous célébrons la fête du Jour."

Un rayon de lune dégoûté éclaire la danse des Braves.

7

Les décisions du Conseil des Braves sont exécutées dès le lendemain. Un groupe d'Areu-Areu se rend à la hutte.

"N'approchez pas!" crie Mada méfiant. "Sinon, ma flèche transpercera vos estomacs fragiles."

Face à cette menace, cinq guerriers prennent la fuite. Les autres se blottissent derrière les épaules du plus vigoureux. Ils le poussent en avant, l'encouragent:

"Parle! Parle!"

Ce puissant guerrier se nomme Ho (1). Sa voix fluette et tremblotante affirme:

— "Ne crains rien Mada, nous ne te ferons aucun mal.

— Avancez de dix pas!" commande Mada.

(1) Ce qui peut se traduire par "Coquille Vide".

Les Areu-Areu reculent de dix pas. Mada connaît la surprenante intelligence de ses frères, c'est pourquoi il s'approche lui-même de la troupe.

"Parle, Ho!"

Coquille Vide réfléchit, puis hurle :

"Ô Mada, ô Vèe…

— Ne braille pas ainsi.

— Tu as dit : parle haut!"

Mada hausse les épaules :

"Allez, raconte ton histoire… doucement."

Coquille Vide récite à toute allure la phrase qu'il a préparée :

"Ô Mada, ô Vèe! Grands Sorciers honorés des Areu-Areu! Par pitié, aidez-nous. Nos corps malades gémissent sous la douleur. Comment guérir?"

Le dernier son sort à peine de la bouche d'Ho, que la troupe fuit déjà en direction de la grotte.

— "Et la réponse?" crie Mada.

Dociles, les Areu-Areu reviennent attendent.

Un nuage d'haleine glacée s'échappe de leur bouche ouverte.

Vèe murmure :

"Eh bé (1)! Idiots, complètement tarés! Mada, aidons-les."

Mada s'avance vers Ho, qui aussitôt glisse sa tête sous ses bras, comme s'il craignait un mauvais coup.

"Frères, écoutez-moi!"

1) Les Areu-Areu vivaient dans notre actuelle Provence. Il xistait déjà des moutons (sauvages), d'où ce "eh bé" nsistez, dans la prononciation, sur le "bé").

En réalité, Mada n'a pas la moindre idée du conseil qu'il pourrait donner aux autres Areu-Areu. Songeur, il gratte vigoureusement son crâne chauve, comme s'il voulait arracher les taches de rousseur qui le parsèment.

Ce geste provoque un mouvement de recul dans les rangs des guerriers. L'inquiétude se lit sur les visages.

Ho marmonne :
"Mada connaît les gestes magiques qui plaisent aux Dieux. Le crâne de Mada est un puissant sortilège !"

Les Areu-Areu se jettent à terre et rampent aux pieds des jeunes gens.

Vêe essaie de ne pas rire. Son compagnon conserve son sérieux et grogne sévèrement :

"Rappelez-vous le temps où vous vous moquiez ! Le temps où vous me traitiez de "Caillou Pelé", de "Tête d'Œuf", stupides plaisanteries d'hommes stupides. Je devrais vous chasser, pourtant mon crâne magique vous secourra".

Les Areu-Areu soupirent de soulagement, mais restent prosternés, de peur que le Grand Sorcier Chauve ne change d'avis.

Vèe chuchote dans l'oreille de Mada :
"Crâne magique, mon œil ! Décidément, ils gobent n'importe quoi !"

Mada grimace et reprend :
"J'ai déjà averti notre Grand Chef Haha que vous mangiez trop de rats. Ne touchez plus à cette vermine grouillante !"

Les visages Areu-Areu se détendent. Manifestement, Mada semble disposé à fournir de ce bon gibier qu'il tue si facilement.

"Allez à la chasse !" continue le Sorcier Chauve.

Les sourires disparaissent.
"Attaquez l'ours !"

Les lèvres se crispent.
"Ne vivez plus comme des animaux craintifs, cachés dans une grotte. Construisez des huttes !"

La colère gagne Mada, sa voix s'enfle :
"Vous êtes pires que des serpents peureux ! Eux se dissimulent dans les arbres comme s'ils avaient honte d'exister. Les guerriers Areu-Areu vivront-ils bientôt dans les arbres, ainsi que les honteux reptiles ?"

Mada se tait et un silence terrible s'installe dans la clairière. Les guerriers n'osent pas se redresser, ni même lever les yeux sur le Grand Sorcier Vengeur.

Le temps passe et la fatigue s'empare peu à peu des corps courbés sur le sol. Lorsque la nuit arrive, les Areu-Areu sont toujours à plat ventre, alors que Mada et Vèe dorment dans leur hutte. Finalement, une voix timide chuchote :

"Ho? Ho? Tu es là, Ho?

— Non, je suis en bas, comme toi (1).

— J'ai une crampe. On peut se relever?"

Ho regarde furtivement autour de lui. Aucun danger en vue. Il se redresse, donne le signal du départ.

(1) Elle est bien bonne, celle-là. Si vous n'avez pas compris, relisez doucement.

8

"Haha!" jubile le Chef Haha. "Mada
conseille de ne plus manger de rats ? Nous
doublerons les portions !

— Chef ! proteste timidement une voix.
Peut-être que Mada…

— Suffit ! grogne le Chef. Vèe et Mada
parlent au nom des Dieux Mauvais, et
nous ferons le contraire de ce que propo-
sent leur bouche venimeuse".

La voix aigre, il commande :

"Femmes, préparez une énorme ration
de rats".

Puis, s'adressant à Ho :

"N'as-tu pas dit que Mada nous déconseillait de vivre cachés dans les arbres, ainsi que les visqueux serpents ?

— Oui, répond Ho, il s'est moqué de nous. Penser que nous allons nous cacher dans les arbres sombres, c'est vraiment nous prendre pour des imbéciles.

Cette idée amuse Coquille Vide qui éclate de rire :

"Ha, ha, ha, ha !

— Arrête de crier mon nom, je suis à côté de toi !

— Mais, Chef, je n'appelle personne, je ris !" proteste Ho.

"Peu importe !" continue le Chef des Areu-Areu. "Nous quitterons la grotte et nous nous installerons au cœur de l'épais feuillage. Désormais, les arbres seront nos abris."

Le jour même, les Areu-Areu déménagent.

Avec des lianes, ils construisent des plateformes en attachant ensemble quelques rondins. Ils installent ces sortes de radeaux... à califourchon sur d'énormes branches.

Les Areu-Areu transportent les armes, la nourriture et tout ce qu'ils possèdent dans les ramures des gros chênes qu'ils ont choisis comme domicile.

Bientôt, la grotte est vide. Seul le feuillage qui s'agite trahit la présence des Areu-Areu, là-haut, près des nuages.

Vèe appelle :

"Pourquoi vous nicher dans les arbres et abandonner la grotte?"

Une cascade de rires répond à Vèe. La tribu des Areu-Areu s'étouffe de rire. Entre deux hoquets, le Chef parvient à s'expliquer :

"Mada croyait tromper les débrouillards Areu-Areu. Il s'est mis le doigt dans l'œil et nous vous chasserons! Nous serons les maîtres de la clairière".

Vèe ne comprend rien aux explications du Chef ; elle regagne la hutte en se vrillant la tempe de l'index.

Les jours s'écoulent et les Areu-Areu se dissimulent toujours dans les arbres. Ils ne quittent leur perchoir que pour se livrer à leur occupation favorite : la chasse aux rats.

En altitude, la vie est plus périlleuse qu'il n'y paraît, et les disputes ne manquent pas d'éclater.

"Pousse pas ou je dégringole!" pleurniche l'un.

"Serre-toi, gros lard!" râle un autre.

Les objets tombent des branches, comme des fruits mûrs. Les enfants Areu-Areu se glissent perpétuellement le long des troncs, pour récupérer les trésors disloqués.

Cette inconfortable situation provoque la mauvaise humeur et d'ailleurs le froid glacial n'arrange rien.

La colique n'a pas disparu.

Pourtant, les Areu-Areu se cachent au creux de l'épais feuillage, comme le frileux serpent.

La colique n'a pas disparu.

Pourtant, chaque Areu-Areu dévore deux fois plus de rats que son estomac peut en contenir. Alors?

Comment expliquer la douleur aiguë qui perce les ventres tel un pieu acéré, qui oblige à se glisser à toute vitesse vers le sol, à courir vers une touffe de fougères, et ceci dix à vingt fois par jour?

Mada le fada, Vèe l'orgueilleuse détiendraient-ils encore des secrets? Chaque jour, ils se promènent, pleins de force et de vitalité.

Le couple les nargue. Mada ne joue-t-il pas de la guitare, juste là, sous leurs arbres, alors que la forêt en compte des milliers? Et Vèe qui a tendu une peau sur un tronc d'arbre évidé, frappe en cadence de la paume de ses mains, sur cet abominable instrument. L'écho mille fois répété — Bam, Bam, Bam, Bam — se mélange aux plaintes de la guitare et rend impossible la vie des Areu-Areu.

Le Chef Haha réunit une nouvelle fois le Conseil des Braves. En fait, il est le seul présent à cette réunion, mais n'est-ce pas lui le plus Brave d'entre les Braves?

Une grave décision est annoncée:

"Hommes! Nous devons redemander l'aide de Mada le fada. Ho se rendra à sa hutte dès le coucher du soleil.

"Hou! Hou!" proteste la tribu.

Le Chef calme sa troupe.

"Je comprends votre colère, mais cette fois nous surprendrons tous les secrets du couple maudit. Puis, nous les chasserons et les tuerons."

Un guerrier s'étonne:

"Comment les tuer si nous les avons chassés?"

Quelques Areu-Areu ricanent. Le Chef se fâche :

"Bougres d'idiots, taisez-vous! Nous les tuerons d'abord, et les chasserons ensuite."

Les Areu-Areu applaudissent à cette solution qui leur paraît meilleure.

9

L'incroyable nouvelle court de bouche en bouche.

"Notre Chef Intrépide exige que nous nous coupions les poils!

— Tu n'es pas un peu malade de la tête?

— Non! Ce n'est pas une blague. Ho est revenu, il a parlé à notre Chef qui a décidé que les Areu-Areu devaient se raser entièrement le corps."

De branche en branche, les guerriers s'appellent. Ils ne peuvent croire les sottises qui se racontent depuis le retour de Ho. Pourtant, le Chef Valeureux ne se montre pas à son peuple, lui qui a l'habitude de se faire applaudir pour pas grand'chose. Il a disparu mystérieusement derrière un rideau de branchage.

Seule la guérisseuse (1), une vieille femme, l'accompagne dans sa retraite.

"Haha serait-il malade?"

Ho a rencontré longuement le Chef, mais il ne veut rien dire.

Décidément non, les Areu-Areu ne peuvent admettre pareille nouvelle. Couper les longs poils qui protègent du froid? Autant se promener tout nu.

Brusquement, d'abominables cris sortent du massif de feuillage dans lequel le Chef se cache (2).

"HAAAaaaaa! ROOOOooooo!"

(1) Guérisseuse : elle soigne les bobos par 2 méthodes :
1° elle observe la langue en demandant au malade de dir "Ha" (sauf pour Haha qui doit répéter 33... 33... 33...)
2° elle recommande de boire du sirop de foie de rat.
(2) 3ᵉ chêne à gauche, 2è branche à droite ; inutile d s'essuyer les pieds avant d'entrer.

Ce hurlement de souffrance ressemble à celui du loup blessé à mort. Ou plutôt au cri d'un fantôme qui vient de se coincer un doigt dans une porte de château hanté.

"ROOOooo! HAAAaaa!"

Les cris redoublent. C'est sûr, on assassine le Chef, ou on le croque tout vif.

Un guerrier s'égosille :

"Aux armes! Aux armes! Courons défendre le Chef.

— T'es pas un peu fou! protestent plusieurs voix."

Et aussitôt, les armes dégringolent aux pieds des arbres. C'est à celui qui s'en débarrassera le plus vite!

Les cris cessent aussi brutalement qu'ils avaient commencé, et le silence règne maintenant dans la clairière… Le feuillage s'écarte lentement…

Un étrange animal apparaît, la guérisseuse sur les talons. La bête est couverte de sang, on dirait qu'elle est tombée dans une bassine de mercurochrome. Des zébrures zigzaguent sur son corps, à croire qu'elle a appris à nager dans un buisson d'épines.

Le monstre parle :

"C'est moi, Haha, votre Chef !"

Alors là, la nouvelle fait le même effet que si Haha avait annoncé qu'un homme venait de poser le pied sur la lune !

Est-ce possible que ce corps sans poils appartienne à un homme ? Et que cet homme soit Haha ? Cette peau lisse de grenouille donne envie de vomir. Ce crâne plus démuni de cheveux que celui de Mada le Chauve serait celui de leur Chef ?

Le doute disparaît peu à peu et un énorme rire secoue la tribu entière.

"Silence ! tonne Haha. Misérables vers de terre, écoutez-moi !

— Ver de terre toi-même !" ricane une voix.

Cependant, si les Areu-Areu retrouver peu à peu leur sérieux, ils restent persua dés que leur Chef s'est fêlé la tête à force de trop réfléchir.

Haha explique :

"J'ai enfin compris le secret de Mada et de Vèe. Ce secret éliminera à tout jamais ces stupides coliques qui agacent nos corps. Déjà, je ne sens plus la douleur."

Du coup, la tribu se montre davantage attentive. Elle est lasse des diables qui dansent la sarabande dans ses entrailles et est prête à s'en débarrasser par tous les moyens.

"Mada nous accuse de vivre cachés dans les arbres, comme le serpent silencieux. Ce sinistre crétin ajoute que nous devrions nous raser les poils afin de ressembler davantage au boa rampant."

Un guerrier se plaint :

"Quelle histoire fumeuse (1) !

— C'est idiot !" approuvent plusieurs voix.

Le Chef s'étrangle de rage :

"Taisez-vous, larves incapables ! Vos têtes sont comme des outres vides."

Les guerriers ne bronchent pas. Haha poursuit :

---

(1) Pas si fumeuse que ça ! On voit que ce guerrier ne connaît pas la splendide et envoûtante fin de ce récit.

"N'avez-vous pas remarqué le corps lisse du serpent ? Mada et Vèe ne sont-ils pas les seuls Areu-Areu qui ne nous ressemblent pas ? Leur corps est dépourvu de poils, justement comme celui du boa rampant. Voilà pourquoi Mada espère que nous conserverons cette épaisse toison qui cause notre perte".

Les Areu-Areu en restent bouche bée. Quelle sensationnelle découverte, bien digne de ce super Chef qu'est Haha.

Après tout, c'est vrai : le couple de sorciers est fort peu velu. Serait-ce là le terrible secret de leur santé ?

Haha triomphe, ce qui n'empêche pas son sang de goutter sur le feuillage de l'arbre :

"La guérisseuse m'a rasé des pieds à la tête!" jubile le Grand Chef Courageux des Areu-Areu.

La vieille femme s'avance et brandit la pierre tranchante utilisée en guise de rasoir.

Les hurlements entendus s'expliquent!

Autant se faire arracher la peau qu'être raclé par cet engin. Quelle torture!

Les Areu-Areu refusent d'en entendre davantage. Ils regagnent leur branche-maison, tête basse. Mais Haha les arrête d'une phrase sèche:

"Demain, chaque membre de la tribu sera rasé par notre guérisseuse. C'est un ordre!"

Il disparaît dans sa hutte de feuilles. (1).

(1) 3ᵉ chêne à gauche, 2è branche à droite; inutile de s'essuyer les pieds avant d'entrer.

10

Les jours suivants, de longues plaintes explosent dans la forêt des Areu-Areu. La vieille guérisseuse écorche vif chaque homme, chaque femme. Les plus courageux ne peuvent retenir leurs gémissements dès que la pierre coupante frôle leur peau. Les plus poltrons braillent dès qu'ils aperçoivent la vieille femme.

Bientôt, la tribu velue est râclée, polie, aussi nue que le serpent visqueux. Plus un poil ! Les crânes luisants brillent au soleil. Même les rats ne reconnaissent plus leurs traditionnels ennemis et croient à la naissance d'une nouvelle race de monstres.

Sans leur toison protectrice, les Areu-Areu grelottent de froid.

Pour se réchauffer, ils s'élancent d'arbre en arbre, à l'aide des grosses lianes qu'ils peuvent saisir. Avant de basculer dans le vide, pour se donner du courage, ils placent leurs mains en porte-voix autour de la bouche, et modulent un grognement extraordinaire qui ressemble un peu à celui d'un chien qui vient de se faire marcher sur la queue.

"VROUAAAAAaaaaa!"

Ce qui n'était qu'un jeu devient vite l'occupation favorite. Les guerriers Areu Areu jaillissent d'une branche pour atterrir sur une autre, puis une nouvelle liane les projette sur un arbre plus lointain et ainsi de suite. (1).

Mada et Vèe considèrent ce spectacle avec ahurissement.

"Ils sont bizarres" constate Vèe, "mais j'ai bien peur qu'en se lançant ainsi dans le vide, ils ne se fracassent la tête contre les arbres."

Vèe se trompe. Au contraire, les Areu Areu acquièrent adresse et agilité. Ils organisent des défis et des compétitions.

(1) A noter que les trapézistes de cirque copient un numéro mis au point par les Areu-Areu, il y a des millions d'années !

Haha le Chef est le seul à connaître quelques difficultés dans l'exercice de ce sport nouveau.

"Regarde-moi!" hurle-t-il de temps à autre.

Il s'empare d'une liane, pousse un affreux rugissement, et hop, il plonge dans le vide.

Le Chef Valeureux des Areu-Areu s'écrase dix mètres plus bas dans un buisson touffu. Clopin clopant, couvert d'épines, il regrimpe dans son arbre pour recommencer son exploit quelques instants plus tard. Jamais il n'admettra sa nullité !

Les Areu-Areu vivent dans les arbres. Ils se sont coupés les poils. Malgré cela, la colique continue à tordre leur ventre douloureux.

Pire ! Un étrange phénomène se produit. Les poils coupés repoussent. Plus longs qu'auparavant !

"Mada nous frappe de sa magie, déclare le Chef. Il ne veut pas que nos corps soient sans poils, comme le sien. Mais, montrons notre ruse : rasons-nous ! Rasons-nous encore ! Rasons-nous toujours !"

La guérisseuse reprend son travail. Jour après jour, elle manie le couperet de pierre, et les poils s'amoncellent à ses pieds.

Le Chef Haha ricane dès que Mada passe sous son arbre :

"Pauvre fada, tu es vaincu ! C'est moi le plus intelligent des Areu-Areu !"

Pour le montrer, il agrippe une liane…
et… PLAF… s'écrase dans un buisson.

Plus la guérisseuse coupe, plus les poils
repoussent vite et longs.

Trois Areu-Areu doivent l'aider. Pourtant, malgré ce travail acharné, la toison
des Areu-Areu repousse, plus épaisse que
jamais.

"Aucune importance, coupons, coupons!" ordonne le Chef.

Et les Areu-Areu coupent…
Et les poils poussent…
Et les Areu-Areu coupent…
Et les poils poussent…

Les poils poussent et la colique poursuit ses ravages. Chaque jour, des centaines de rats sont dévorés.

"Bande d'abrutis! accuse Mada. Ne mangez plus de rats! Vivez sur le sol! Ne vous rasez plus!"

Aussitôt, le Grand Chef Valeureux déclare:

"Mangez des rats! Restez dans les arbres! Rasez-vous!

— Eh bien, allez-y! Mangez des rats, davantage de rats, et surtout, ne touchez pas aux tamotes. Après tout, je m'en fiche!

— Ne mangeons plus de rats! Dévorons des tamotes! Encore des tamotes! Toujours des tamotes! ordonne le Chef.

Les Areu-Areu sont de plus en plus velus. C'est à peine si l'on distingue les yeux et la bouche.

Les poils deviennent si longs qu'ils recouvrent le corps entier d'une volumineuse fourrure noire.

Finalement, il devient impossible de les couper : la douleur de l'opération est insupportable. Les peaux de rats sont inutiles : la lourde toison protège le corps du froid. Les Areu-Areu sont nus, habillés de leurs seuls poils (1).

Ils ne marchent presque jamais sur le sol : le jeu de lianes occupe leurs journées.

Ils parlent rarement, grognent le plus souvent.

Ils grognent lorsqu'ils s'élancent dans les airs.

Ils grognent parce que la colique agace leur ventre.

Ils grognent de satisfaction après un bon repas de tamotes.

Ils ont même oublié le plaisir qu'ils éprouvaient à s'infliger la correction des 36 chandelles.

(1) D'où, à mon avis, l'origine de l'expression vulgaire "à poil".

11

Mada et Vèe se tiennent enlacés.

Ils observent les formes noires qui se balancent au bout des lianes.

"Partons. dit Mada. Notre place n'est plus dans la forêt."

Vèe soupire :

"Nos frères ne nous ressemblent plus du tout. On dirait des animaux."

Elle a rassemblé quelques peaux, les armes, les provisions. Tout cela ne pèse guère aux épaules de son compagnon.

Elle remarque :

"Je ne connais pas d'animaux sembla-bles. Ils n'appartiennent plus à la tribu des Areu-Areu. Inventons-leur un nom!"

Mada réfléchit et dit :

"Voyons… euh… n'importe quoi… sin-ges… singes… pourquoi pas singes ? (1)"

Vèe approuve, ce mot lui plaît.

Le couple jette un dernier coup d'œil sur les singes qui sautent d'arbre en arbre.

"La nuit sera vite là, remarque Mada, et le chemin qui nous emmène loin d'ici est long. Partons !"

Ils s'éloignent à travers la forêt. Ils enten-dent encore les glapissements des Areu-Areu-Singes, lorsque Mada arrête Vèe.

"Puisque une vie nouvelle commence, changeons de nom, nous aussi."

Vèe s'empare d'un bâton et dessine sur le sol les lettres qui composent leur nom (2)

(1) Eh, oui ! Le mot "singe" a été inventé par Mada il y des millions d'années. Aucun livre ne le dit : voici un injustice réparée.

(2) Vèe connaît l'alphabet mais pas les majuscules. A l'épo que des mammouths ! Quelle stupéfiante révélation pou les Professeurs d'Histoire !

"Regarde! J'ai trouvé!"

Vèe a disposé les lettres dans un autre ordre.

m a d a
a m a d
d a m a
a m d a
a a m d
a a d m
d a a m
m a a d
d m a a
m d a a
a d a m

vèe
vee
èev
eèv
evè
ève

Vèe saute au cou de son compagnon pour l'embrasser. Puis, tournée vers le ciel elle hurle aux nuages :

Imprimerie REGAZZI - THORIGNY (77)

N° d'Éditeur : 5612 – Dépôt légal : 3ᵉ trimestre 1981

PASSEPORT
tire lire poche
magnard

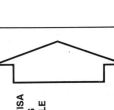

Table thématique, résumé de l'intrigue pour chaque livre, photo de la couverture, vous voilà à même, avec le GUIDE MAGNARD-JEUNESSE, de choisir LES HISTOIRES QUE VOUS AIMEZ. Remis gratuitement par votre libraire.

La collection Tire Lire Poche met ce passeport à votre disposition pour vous offrir une aventure de plus.

Vous trouverez en fin de volume des « BONS-VISAS » du modèle ci-dessous.

NE PAS UTILISER
BON - VISA POUR PASSEPORT TIRE LIRE ENCORE 5 BONS-VISAS ET VOUS OBTENEZ UN LIVRE GRATUIT

découpez ces bons-visas et COLLEZ-LES CI-CONTRE

Lorsque vous aurez rempli les 6 cases, il vous suffira de remettre ce PASSEPORT à votre Libraire qui vous offrira en échange

1 Livre Tire lire poche gratuit

que vous pourrez choisir dans ses rayons.

6	**4**	**5**
3	**2**	**1**

VOS 6 BONS SONT COLLÉS ?
VOUS AVEZ DROIT A 1 LIVRE TIRE LIRE POCHE GRATUIT